Dagmar Geisler

Manchmal gibt es einfach Streit

Illustrationen von Dagmar Geisler

ISBN 978-3-7855-7007-4
1. Auflage 2015
© Loewe Verlag GmbH, Bindlach 2015
Umschlag- und Innenillustrationen: Dagmar Geisler
Text: Dagmar Geisler
Umschlaggestaltung: Elke Kohlmann
Printed in Italy

www.loewe-verlag.de

Manchmal gibt es einfach Streit

Es ist noch gar nicht so lange her, dass Bilderbücher dazu dienten, Kinder angepasstes Verhalten zu lehren. Zusammen mit den Klischees der damaligen „Idealfamilie": Vater streng, Mutter still, Kind brav. Kein Streit, auf keinen Fall! Und wenn, dann darf es keiner wissen!

Von solchen Prägungen ist „Manchmal gibt es einfach Streit" Lichtjahre entfernt. Dagmar Geislers Buch vom Zusammenleben atmet einen freien, lebensförderlichen Geist. Da geht die Mutter auf Socken. Die Eltern würfeln, wer das Ausflugsziel bestimmt. Und das Kind ist stets mittendrin.

Das Schönste: Wir lernen trotzdem was. Wie Streit entsteht und dass es ohne Streit nicht geht. Wie man Streit beendet und wie man sich versöhnt. Missverständnisse und Interessenskonflikte sind normal. Die einen kann man klären, die anderen müssen kreativ verhandelt werden. Das ist bei Kindern genauso wie bei Eltern und – schmunzelnd entdecken wir es – auch bei Hund und Katze.

Der dritte Streitfall ist der heikelste: wenn Grund und Anlass auseinander-liegen. Es herrscht einfach dicke Luft und die kommt von draußen. Mama gibt zu, „viel Ärger auf der Arbeit zu haben", Papa sagt, er habe „so viel um die Ohren". Das Buch ist eine wertvolle Grundlage zum gemeinsamen Entdecken. Es bleibt nicht verborgen, dass Streit auch Angst macht. Eine Albtraumnacht gehört dazu. Nicht einmal das Kuscheltier kann trösten. Der Morgen muss noch ausgehalten werden, ein Streit im Kindergarten. Dann endlich: Blumen und Entschuldigung.

Erleichtert – und klüger – legen Kind und Eltern das Buch aus der Hand. Und es klingt nach, was Hund und Katze lehren: „Streiten gehört dazu, aber sich wieder vertragen ist schöner."

**Dr. Martina Steinkühler,
Professorin für Religionspädagogik**

Fast jeder hat irgendwann einmal Streit.

Die Müllers streiten sich manchmal wegen nichts.

Die Meiers zanken sich oft wegen Fußball.

Olga und Ben streiten sich jedes Mal, wenn sie in Urlaub fahren wollen.

Die Quapps zanken sich manchmal übers Fernsehprogramm.

Bello und Finchen zanken sich um die Wurst.

Auch Leute, die sich gern mögen, haben irgendwann einmal Zoff.

Ernst und Annemarie streiten manchmal, was besser ist – Krimis oder Liebesgeschichten.

Wir streiten uns nie!

Nur meine Eltern streiten nie.
Nein, das ist natürlich Quatsch.
Die beiden sind schließlich keine Engel.
Obwohl sie meistens sehr lieb und lustig sind.

Es gibt so Tage, da spüre ich schon, dass etwas in der Luft liegt.

Manchmal ist es bloß ein Missverständnis.

Wie zum Beispiel an dem Tag, als Papa dachte, Mama hätte sein allerliebstes Lieblings-T-Shirt einfach so weggeschmissen. Dabei war es bloß in der Wäsche.

Manchmal sind sie ganz unterschiedlicher Meinung.
So wie an dem Tag, als Mama große Lust hatte,
einen Ausflug zu machen, und Papa
unbedingt Oma besuchen wollte.
Da haben sie sich erst ein
bisschen gezankt, aber
dann gemeinsam eine
Lösung gefunden.

Aber einmal war es richtig schlimm.
Schon beim Frühstück habe ich gemerkt, dass irgendetwas nicht stimmt.

Als wir dann in den Tierpark gefahren sind, saß Mama am Steuer und Papa hat so ein komisches Gesicht gemacht und die ganze Zeit aus dem Fenster geschaut.
Sie haben nichts geredet und im Rückspiegel habe ich die steile Falte auf Mamas Stirn gesehen.
Die hat sie immer, wenn sie sich ärgert.

Erst habe ich gedacht, sie ärgern sich vielleicht über mich.
Aber als wir später durch den Tierpark gelaufen sind, waren alle beide sehr, sehr freundlich zu mir.
Miteinander haben sie gar nicht gesprochen. Nur wenn sie meinten, ich höre sie nicht, haben sie sich angezischelt.

Als wir wieder zu Hause waren, musste ich bald ins Bett, aber schlafen konnte ich nicht. Ich habe gehört, wie sie ganz laut gestritten haben. Sogar mit den Türen haben sie geknallt. Mir verbieten sie das immer. Und dann hat es sich so angehört, als ob jemand weinen würde.

Am nächsten Morgen beim Frühstück hatte Mama ganz traurige Augen und Papa war gar nicht da. Aber ich habe mich nicht getraut zu fragen, ob er schon zur Arbeit gegangen ist.

Im Kindergarten hatte ich furchtbar schlechte Laune und ich war auf einmal schrecklich wütend auf Leon. Ich habe ihn angeschrien. Bloß weil er gefragt hat, ob wir unser Schloss fertig bauen wollen. Da war er natürlich beleidigt und das hat mich erst recht geärgert. Dabei ist Leon mein bester Freund und wir wollten das Schloss ja wirklich zu Ende bauen.

Am Nachmittag war Mama immer noch so komisch.
Sie hat nicht einmal mit mir geschimpft, als ich, ohne zu fragen, den Fernseher angeschaltet habe.

Aber dann ist Papa heimgekommen. Er hatte einen großen Blumenstrauß dabei. Den hat er Mama geschenkt und gesagt: „Es tut mir leid, dass wir gestritten haben und ich so stur war. Aber ich bin im Moment total schlecht gelaunt, weil ich so viel um die Ohren habe."
Und Mama hat gesagt: „Mir tut es auch leid, ich war ungerecht, weil ich zurzeit so viel Ärger auf der Arbeit habe."

„Ich hatte schon Angst, dass ihr euch nicht mehr lieb habt und euch trennen wollt."
„Oje, war es so schlimm?", haben Mama und Papa ganz besorgt gefragt.

Und ich habe genickt, denn das war es ja wirklich.
Und ich wollte, dass sie mir versprechen, nie wieder zu streiten.
Aber das geht nicht, haben sie gesagt. Denn Streit kommt in den besten Familien vor. Das gehört dazu, auch wenn man sich gernhat.
Wichtig ist nur, dass man sich wieder verträgt. Und dass man danach darüber sprechen kann, warum der Streit entstanden ist.

Manchmal entsteht Streit durch ein Missverständnis. Das kann man klären.

Oder man streitet sich, weil man unterschiedlicher Meinung ist. Dann kann man einen Kompromiss finden.

Und manchmal fängt man wegen irgendetwas an zu streiten, das mit dem anderen gar nichts zu tun hat. Wenn das passiert, kann man um Verzeihung bitten.

Das kommt bei Erwachsenen vor, aber auch bei Kindern.